Ar Strae

Patricia Forde a scríobh

John White a mhaisigh

Futa Fata

Do gach páiste díláithrithe – go gcuirtear fáilte agus fiche rompu, pé áit a dtagann siad i dtír.

Foilsithe den chéad uair ag Futa Fata, An Spidéal, Co. na Gaillimhe, Éire
An chéad chló © 2019 Futa Fata
An téacs © 2019 Patricia Forde
Maisiú © 2019 John White

Foras na Gaeilge
Tá Futa Fata buíoch d'Fhoras na Gaeilge faoin tacaíocht airgid.

Thacaigh An Chomhairle Ealaíon le forbairt an leabhair seo faoina scéim
Maoiniú Deontais do na hEalaíona

ISBN: 978-1-910945-51-3

An tÚdar

Ainm: Patricia Forde
Is maith liom: Snámh san fharraige, focail, cathair Londan, ainmhithe, an Fómhar.
Ní maith liom: Bulaithe, leite, scéalta uafáis, lucha.

3 fhocal a dhéanann cur síos orm: Mífhoighneach, dílis, cainteach.
Rún mór fúm: B'fhearr liom scríobh i seomra dorcha seachas áit ar bith eile.

An Maisitheoir

Ainm: John White
Is maith liom: Ealaín, ceol, an nádúr, scannáin agus leabhair scanrúla, cathair na Vinéise, aclaíocht, píotsa agus iasc!
Ní maith liom: Daoine ardnósacha, tiománaithe nach bhfuil aireach, meacain bhána.

3 fhocal a chuireann síos orm: Cruthaitheach, ciúin, suaimhneach.
Rún mór fúm: Nuair a bhí mé sa mheánscoil, b'fhearr liom pictiúir sci-fi a tharraingt ná peil a imirt.

Clár

1   An tÓstán   1

2   An Madra Beag Bán   6

3   Mo Rún   11

4   Madra i bhFolach   17

5   Oscar Leis Féin   23

6   Oifig an Tréidlia   29

7   Ó Loinsigh   33

8   Ag Pacáil   39

9   San Ospidéal   44

10 Saol Nua   48

Caibidil 1

An tÓstán

Cheap mé ar dtús go mbeadh sé go hiontach bheith i mo chónaí in óstán. Bheadh béilí deasa ar fáil agus ní bheadh orm cabhrú le Mama sa chistin. Ní bheadh orm mo sheomra a ghlanadh ná mo leaba a réiteach gach maidin. Agus dá mbeadh tada uaim ní bheadh orm ach glaoch ar an oifig fháiltithe thíos staighre.

Bhí óstáin iontacha feicthe agam sa tSiria. *An Dama Rose*, mar shampla. Bhí trí bhialann ann agus linn snámha ar an díon. Mórthimpeall air, bhí gairdíní líomóide, ina mbíodh mo Dheaide ag obair.

Bhíodh boladh úr na líomóide uaidh gach tráthnóna ag teacht abhaile dó. Is breá liom an boladh sin.

Ach ní hé sin an sórt óstáin atá i gceist anseo i mBaile Eoin. Is óstán é seo do theifigh.

B'fhéidir nach bhfuil a fhios agat céard is teifeach ann? Ní raibh a fhios agamsa ach an oiread. Is duine é a mbíonn air a thír a fhágáil mar gheall ar chogadh, duine nach mbíonn aon áit eile aige le dul. Duine ar nós mise.

Nuair a bhí mé sa tSiria, ba ghnáthbhuachaill a bhí ionam. Buachaill a bhí ag dul ar scoil, ag rothaíocht ar a rothar nua, ag spraoi lena mhadra. Ní raibh tada ag cur isteach ná amach orm. Níor thug mé aird dá laghad ar an méid a bhí ag tarlú ar an nuacht gach oíche, ná ar an méid a bhí á rá ag na daoine fásta. Faoin am ar thug, bhí sé rómhall. Agus anois, is teifeach mé.

Tá mé i mo chónaí in óstán Bhaile Eoin. Tá dhá

sheomra againn. Seomra amháin do Mhama agus an cúpla, Sada agus Rasha, agus seomra beag bídeach in aice leis, domsa.

Níl aon linn snámha ann.

Níl tada ar an díon ach faoileáin.

Níl mé ag clamhsán. Deir Mama go bhfuil an t-ádh linn. Tá muid inár gcónaí in áit shábháilte. Ach níl mise chomh cinnte céanna. Rinne mé liosta de na buntáistí agus de na míbhuntáistí a bhaineann le bheith anseo. Sin a mhol ár múinteoir dúinn a dhéanamh - Múinteoir Grace.

'Nuair atá tú idir dhá aigne faoi rud éigin,' ar sí 'déan amach liosta! Scríobh síos na buntáistí agus na míbhuntáistí a bhaineann leis.'

Seo mo liostasa:
Buntáistí:
1.   Níl aon bhuamaí ag titim i mBaile Eoin.

2. Níl muid amuigh sa dorchadas, ag rith trí na sráideanna a fhad is atá buamaí ag titim.
3. Níl muid amuigh ar an bhfarraige, sa dorchadas, agus an bád ag tógáil uisce.
4. Níl Sada ag casachtach.
5. Tá mo sheomra féin agam.
6. Is féidir liom leabhair a fháil ón leabharlann.
7. Tá triúr cairde agam ar scoil.
8. Tá mála criospaí agam faoi mo leaba. Salann agus fínéagar. Na cinn is fearr liom.
9. Tá beirt deirfiúr agam, Sada agus Rasha.
10. Tá Múinteoir Grace agam ar scoil.
11. Tá Mama agam i gcónaí.
12. Tá Mama ag súil le páiste eile.

Míbhuntáistí:
1. Níl mé sa bhaile.
2. Níl mé i mo theach féin.
3. Tá mo bhréagáin agus mo leabhair i mo theach féin sa tSiria.
4. Níl Mamó ná Daideo anseo.
5. Níl mo chairde Elias ná Zain anseo.

6. Níl an bia go maith anseo.

7. Tá muid inár gcónaí le strainséirí.

8. Tá a lán rialacha anseo.

9. Tá Seán Seoighe, an cúramóir, anseo agus is fuath liom é.

10. Níl mo mhadra agam.

11. Tá beirt deirfiúr agam.

12. Tá Mama ag súil le páiste eile.

13. Ní fhaca mé mo Dheaide le sé mhí anuas.

Caibidil 2

An Madra Beag Bán

Bhí mé i mo chodladh aréir nuair a dhúisigh rud éigin mé. Bhí Seán Seoighe, an cúramóir, ag cur amach an bhruscair. Déanann sé é sin gach Céadaoin timpeall a deich a chlog san oíche. Dúisíonn sé na páistí gach Céadaoin leis an gclampar a bhíonn aige. D'iarr mo Mhama air gan é sin a dhéanamh, ach ní thugann sé aon aird uirthi. Níor éirigh liom dul ar ais a chodladh. Tar éis tamaill, d'fhéach mé amach an fhuinneog. Is féidir an fharraige a fheiceáil ó mo sheomra, agus is maith liom bheith ag éisteacht le torann na dtonnta.

Uaireanta, bíonn daoine amuigh ag siúl ar an bpromanáid faoi na soilse.

Is ansin a chonaic mé den chéad uair é. Madra beag bán. Bhí sé ag siúl ar leathchois, a chluasa le talamh, agus cuma chomh brónach sin air, gur bheag nár thosaigh mé ag caoineadh. Bhí sé ag iarraidh dul trasna an bhóthair, ach ní raibh ag éirí leis. Gach uair a d'fhág sé an cosán, d'fheiceadh sé na gluaisteáin ag teacht ina threo, chailleadh sé a mhisneach, agus ar ais leis ar an gcosán.

Rith mé amach as mo sheomra, anuas an staighre, agus amach an doras. D'fhéach mé thart. Ach bhí sé imithe. D'fhan mé ansin ar feadh tamaill ach ní raibh tásc ná tuairisc air.

'Céard atá tusa a dhéanamh anseo?'

Seán Seoighe a bhí ann. An cúramóir. Is duine fásta é ach tá guth cosúil le páiste aige. Fear mór caol é. Súile beaga géara ann agus béal nach bhfaca mórán gáire riamh.

'Bhí mé ag féachaint ar an bhfarraige,' a dúirt mé.

'Níl aon chead agat bheith amuigh anseo. Téigh ar ais isteach nó déanfaidh mé gearán fút. Níl cead amach tar éis a deich a chlog.'

Ní raibh mé ag iarraidh trioblóid a tharraingt ar mo mháthair. Is mise fear an tí anois. Sin a dúirt mo Dheaide liom an uair dheireanach a chonaic muid é.

Nuair a chuaigh mé ar ais chuig mo sheomra, bhí mo Mhama agus an cúpla ina gcodladh. Bíonn Mama an-tuirseach na laethanta seo. Tá an páiste ag fás ina bolg agus tá sí ag déanamh a dícҺill teach a fháil dúinn. Téann sí isteach is amach chuig an oifig tithíochta sa bhaile mór beagnach gach lá. Chuaigh mé léi lá amháin. Sheas muid ag fuinneog bheag agus dúirt an bhean san oifig go mbeadh orainn bheith foighneach.

'Tá a lán daoine ar an liosta' ar sí.

Ansin, dhún sí an fhuinneog de phlab. Ní fheicim go bhfuil aon bhuntáiste ag baint leis an mbean sin, ná leis an oifig tithíochta.

Chuaigh mé isteach i mo leaba. Bhí imní orm faoin madra beag. An raibh sé ceart go leor? An raibh duine ar bith aige chun aire a thabhairt dó? An raibh sé i mbaol?

Caibidil 3

Mo Rún

Ní fhaca mé arís é go ceann coicíse. Bhí mé ag teacht abhaile mall ó chluiche peile agus bhí sé beagnach a sé a chlog nuair a shroich mé an t-óstán. Bhí mé stiúgtha leis an ocras, rud a chuir deifir fúm. Ba bheag nár thug mé faoi deara ar chor ar bith é. Ach bhí mé in ann é a chloisteáil. Bhí sé ag caoineadh. Ar dtús, ní raibh a fhios agam cá raibh sé, ach ansin chonaic mé é. Bhí sé i bhfolach taobh thiar de na cannaí bruscair, ar thaobh an óstáin.

Rith mé anonn chuige. Bhí sé chomh tanaí sin,

a easnacha ag gobadh amach trína chraiceann, agus cuma an ocrais air. Chonaic mé créacht oscailte ar a chorróg. Thuig mé ansin an fáth a raibh sé ar leathchois.

Phioc mé suas é. Bhí sé fós ag caoineadh. Bhí deora i mo shúile féin ach bhí a fhios agam go raibh orm guaim a choinneáil orm féin agus smaoineamh ar sheift éigin. D'fhéadfainn é a thabhairt suas go dtí mo sheomra, agus é a chur i bhfolach ann. Dá mbeinn in ann é a thabhairt isteach i ngan fhios do Sheán Seoighe. Chuimil mé an madra agus labhair mé leis go deas réidh. Stop an caoineadh. Chuir mé isteach i mo mhála peile é agus chuir mé mo mhála faoi mo chóta. Dá bhfanfadh sé socair, bheadh linn.

Chuaigh mé suas na céimeanna taobh amuigh den doras tosaigh. Isteach liom, mo cheann fúm, ag féachaint ar mo bhróga. Mhothaigh mé croí an mhadra ag bualadh faoi mo chóta. Ní raibh duine ar bith sa halla ná ar an staighre. Bhí linn. Chuir mé mo chos ar an gcéad chéim.

'Nizar!'

Stop mé. Bhí mo chroí mar a bheadh toirneach ann. Bhí mé cinnte go mbeadh duine ar bith san áit in ann é a chloisteáil. D'fhéach mé thar mo ghualainn. Talatu a bhí ann. Cara mo mháthar.

'Haigh, a Talatu!' a dúirt mé.

'Cén chaoi a bhfuil do mhama inniu? Ní fhaca mé í ag am lóin.'

'Á…níl a fhios agam. Bhí mé amuigh ag imirt peile. Seans go raibh sí istigh ag an oifig tithíochta.'

'Ní ceart di bheith ag dul isteach ansin gach aon lá. Tá sí traochta leis an gcúpla, gan trácht ar an bpáiste nua atá á iompar aici.'

Bhog an madra faoi mo chóta. Thosaigh sé ag geonaíl. D'fhéach Talatu orm go hamhrasach.

'Rachaidh mé suas anois, a Talatu, agus feicfidh mé an bhfuil sí istigh.'

Rith mé suas an staighre, dhá chéim san iarraidh. Bhí an madra ag caoineadh arís. D'oscail mé doras mo sheomra agus ba bheag nár thit mé ar an leaba. Bhí Mama sa seomra béal dorais.

'A Nizar!"

'Tá mé ag teacht, a Mhama. Nóiméad amháin.'

'Tá muid ag dul síos le haghaidh suipéir. Nigh do lámha agus bí linn.'

Chuala mé an doras ag oscailt agus Sada agus Rasha ag rith síos an halla. Thit mé i mo chnap ar an leaba.

Bhí pláta beag faoi phlanda a bhí curtha ag Mama ar an bhfuinneog. Thóg mé é agus líon mé le huisce é. D'ól an madra é.

'Fan anseo, a chara,' a dúirt mé leis. 'Beidh mé ar ais le rud éigin le hithe duit. Ach caithfidh tú fanacht socair.'

Níl a fhios agam ar thuig sé mé, ach luigh sé síos ar aon chuma. Thóg mé mo mhála, amach an doras liom agus síos an staighre. Agus mé ag déanamh ar an mbialann, chonaic mé duine éigin amach romham. Duine feargach agus é ag stánadh orm. Seán Seoighe a bhí ann.

Caibidil 4

Madra i bhFolach

'An gceapann tusa go bhfuil mise dúr?'

Bhí a shúile ar lasadh le fearg.

Ní dúirt mé tada.

'Cé mhéad uair a chaithfidh mé a rá leat?
Tá rialacha san áit seo.'

'Á...ní thuigim,' a dúirt mé.

Ní raibh a fhios agam céard eile le rá. Ní raibh mé in ann smaoineamh i gceart. Bhí pian i mo scornach leis an bhfaitíos a bhí orm. An bhfaca sé mé leis an madra?

'D'fhág tú do rothar caite sa gharraí. ARÍS!'

Mo rothar. Bhí sé ag caint faoi mo rothar.

'Cuirfidh mé isteach sa gharáiste é tar éis an dinnéir,' a duirt mé. 'Brón orm.'

'Téigh amach agus cuir isteach anois é!" ar seisean. 'Mura bhfuil tú sásta cloí leis na rialacha is féidir leat imeacht. Is iomaí clann a thabharfadh leathchos le bheith istigh anseo. Bíodh a fhios agat sin! Seo do rabhadh deireanach. Do rabhadh deireanach!"

Ní raibh bealach ar bith timpeall air. Chuaigh mé amach, bhailigh mé mo rothar agus chuir mé sa gharáiste é. Bhí a fhios agam go bhféadfadh Seán Seoighe gearán a dhéanamh fúinn. Céard a

dhéanfaimis dá gcaithfí amach as an óstán muid?
Ach ní fhéadfainn smaoineamh air sin anois.

Ag an dinnéar, d'éirigh liom trí ispín a shleamhnú
isteach i mo mhála. Ní ithim ispíní. D'ól mé gloine
bainne agus d'iarr mé ar mo Mhama an raibh cead
agam gloine eile a thabhairt suas staighre liom. Bhí sí
gafa leis an gcúpla, ach d'fhéach sí orm go cúramach.

'Cén fáth?'

'Uaireanta bíonn tart orm san oíche. An féidir liom
dul suas anois, a Mhama? Tá a lán obair bhaile agam.'

Níor thug sí níos mó airde orm ansin mar
thosaigh Sada agus Rasha ag troid lena chéile.

D'éalaigh mé den chathaoir agus chuaigh mé suas
staighre.

Bhí an madra bocht ag olagón arís. Thug mé na
hispíní dó agus d'alp sé siar iad. Ansin d'ól sé an

bainne. Nigh mé an chréacht a bhí ar a chorróg.
Chuaigh mé isteach go seomra mo mháthar agus
thóg mé an t-ungadh a bhí aici ar an doirteal. Chuir
mé an t-ungadh ar an gcneá ach chomh luath agus a
rinne mé é sin, thosaigh an madra á líochán.

Oíche Shathairn a bhí ann, agus go hiondúil
bheinn istigh le mo chlann ag féachaint ar an
scannán sa seomra suí thíos staighre. Dúirt mé le
Mama go raibh an iomarca oibre le déanamh agam.

'Nach tú an buachaill maith,' a dúirt sí. 'Bheadh
do Dheaide an-bhródúil asat.' Ba bheag nár inis
mé gach rud di ansin ar an bpointe. Bhí náire orm.
Ní raibh sé ceart bheith ag insint bréag di, ach ní
raibh mé ag iarraidh imní a chur uirthi.

Chaith mé an oíche ar fad ag tabhairt aire
d'Oscar. Sin an t-ainm a thug mé air. Oscar.

Rinne mé leaba bheag dó le mo gheansaí agus
chuir mé faoi mo leaba féin é. Thit sé ina chodladh

tar éis tamaill. Ansin, luigh mé siar, ag iarraidh mo scíth a ligean. Bhain an cnag ar an doras geit asam. Léim mé i mo sheasamh. Mama a bhí ann.

'Gach rud ceart go leor, a stóirín? Níl tú ag aireachtáil tinn, an bhfuil?'

'Níl,' a dúirt mé. 'Tá tuirse orm, sin an méid.'

Chuir sí a lámh ar chlár m'éadain.

'Bhfuil tú cinnte?' a dúirt sí, agus chonaic mé an imní ar a haghaidh.

'Cinnte, dearfa.'

'Cén fáth a raibh an t-ungadh uait mar sin?'

Ba bheag nár stop mo chroí. Abair rud éigin! Go tapa!

'Áááá…bhí spota anseo orm…ar m'éadan.'

Chuir sí a lámh faoi mo smig agus scrúdaigh sí m'aghaidh.

'Sin bricín, a stóirín! Bricín beag a fuair tú faoi ghrian na Siria.'

D'imigh sí ansin. Luigh mé siar ar an leaba arís agus lig mé osna. Ní raibh mé in ann dul a chodladh. Ní raibh Oscar in ann dul a chodladh ach an oiread. An raibh cumha air i ndiaidh an bhaile? An raibh baile aige fiú? An raibh duine éigin á chuardach? Ní raibh aon choiléar air. Ach b'fhéidir go raibh póstaeir curtha in airde ag a úinéir dó. Dhéanfainn fiosrúcháin faoi. Dé Luain. Go dtí sin, bheadh sé sábháilte anseo liomsa.

Caibidil 5

Oscar Leis Féin

Chaith mé an Domhnach ar fad le hOscar. Thug mé neart le hithe agus le hól dó. Bhí sé ag bisiú os comhair mo shúile. Ní raibh sé ag caoineadh níos mó. Chroith sé a eireaball anois is arís agus chodail sé go sámh. Ach bhí mé fós imníoch. Céard a tharlódh amárach nuair a bheadh orm dul ar scoil? An bhfanfadh sé socair anseo i mo sheomra? An gcloisfeadh duine éigin é? Bheadh Mama i dtrioblóid mhór dá mbeadh a fhios ag daoine go raibh madra sa seomra agam. Níl cead peataí san óstán i mBaile Eoin. Cé mhéad uair a dúirt sí liom go raibh an t-ádh linn bheith anseo? Dá bhfaigheadh Seán Seoighe amach go raibh mise ag briseadh na rialacha, seans nach mbeadh mórán trua aige dúinn.

Tháinig maidin Dé Luain róluath dom. Shlog mé siar mo bhricfeasta agus sciob mé bagún agus píosa aráin d'Oscar. D'fhág mé uisce aige agus chuir mé isteach faoi mo leaba é. Bhí cuma dheas, chiúin air agus bhí muinín agam go bhfanfadh sé ina chodladh.

'Ná bíodh gíog asat, a Oscair,' a dúirt mé leis. 'Beidh mé ar ais chomh luath agus is féidir liom.'

Chaith mé an lá ar fad ar scoil, gan tada á fhoghlaim agam. Bhí mo chroí fós sa seomra beag sin, in éineacht le hOscar. Faoi dheireadh, bhuail an clog. Bhí sé in am dul abhaile. Bhí mé ag fáil mo chóta nuair a stop Múinteoir Grace mé.

'An bhfuil gach rud ok, a Nizar?' a dúirt sí.
'Tá,' a dúirt mé. 'Go raibh maith agat.'

D'fhéach sí orm, a súile móra gorma lán le cineáltas.

'Tá súil agam go dtuigeann tú go bhfuil mé anseo dhuit, a Nizar, má bhíonn aon chabhair uait?'

'Tuigim,' a dúirt mé, ach ní raibh mé in ann féachaint uirthi. An raibh a fhios aici céard a bhí ar bun agam?

Rith mé abhaile. Ní raibh aon duine sa halla ná ar an staighre. D'oscail mé doras mo sheomra. Bhí sé folamh. Bhí a fhios agam ar an bpointe boise. Bhí Oscar imithe.

Leis sin, tháinig Mama isteach.

'Tá sé thíos staighre,' ar sí. 'Slán sábháilte.'

Ní dúirt mé tada. Ní raibh tada le rá.
'Chuala Seán Seoighe é ag olagón,' ar sí. 'Tá sé ina oifig aige.'

Seán Seoighe. Duine ar bith, ach eisean.

'Ní raibh mé ach ag tabhairt aire dó,' a dúirt mé. 'Bhí sé gortaithe agus ina aonar.'

'Níl cead againn peataí a bheith againn anseo,' arsa Mama, a guth séimh, ciúin. 'Tá a fhios agat sin, a Nizar. Ní linne an teach seo. Tá rialacha ann.'

'Tá a fhios agam,' a dúirt mé, ach taobh istigh, bhí mé ar buile. Ní raibh mé ag iarraidh bheith anseo. Bhí mé ag iarraidh dul abhaile, áit a raibh ár dteach féin againn. Ar ais chuig mo sheansaol. Áit nach raibh aon rialacha ann.

'Tabharfaidh muid chuig an tréidlia é. Seans go mbeidh siadsan in ann a fháil amach cé leis é.'

D'iarr Mama ar Talatu fanacht leis an gcúpla. Chuaigh muid síos staighre.

Isteach liom go drogallach go hoifig Sheáin Seoighe.

26

Bhí Oscar ina chodladh go sámh faoina dheasc ach léim sé in airde nuair a chuala sé mo ghlór.

'Bhuel?' arsa Seán Seoighe. 'Céard atá le rá agatsa?'

'Tá mé ag iarraidh Oscar a thabhairt chuig an tréidlia.'

'Oscar?! Ha! Ná bí ag magadh. Ní leatsa an t-ainmhí seo! Oscar! Níl a fhios agat cén t-ainm atá air. Agus beidh mé ag déanamh gearáin oifigiúil ar ndóigh…'

'Huth. Ar ndóigh.'

'Seachain tú féin anois, a bhuachaill!'

Sheas Mama isteach eadrainn.

'Tá brón orm, a Sheáin, ní raibh sé i gceist ag Nizar bheith míbhéasach leat,' ar sí. 'Níl ann ach go bhfuil sé buartha faoin madra.'

Chuir Seán Seoighe pus air féin.

'Níl mise ach ag déanamh mo jab, bíodh a fhios agat.'

'Tuigeann muid é sin,' arsa Mama. 'Bhris Nizar na rialacha agus tá brón air. Nach bhfuil, a Nizar?'

D'fhéach Mama idir an dá shúil orm, agus bhí a fhios agam nach raibh an dara rogha agam.

'Tá,' a dúirt mé. 'Tá brón orm.'

D'fhéach Seán Seoighe orm go hamhrasach.

'Imigí libh anois,' ar seisean 'agus tógaigí an creatúr sin libh. Agus a Nizar - níl sé seo thart. Níl sé thart ar chor ar bith. Fuair tú rabhadh ach níor thug tú aon aird air. D'fhéadfadh iarmhairtí tubaisteacha a bheith ann. Iarmhairtí tubaisteacha.'

Caibidil 6

Oifig an Tréidlia

D'iompair mé Oscar liom i mo bhaclainn. Ligh
sé m'aghaidh. Shiúil mé le Mama go dtí doras an
tréidlia. Ní dúirt muid mórán ach chuimil Mama
ceann Oscair. Bhí a fhios agam nach mbeinn in
ann é a choinneáil. Bhí a fhios agam sin ón tús. Tá
duine éigin á lorg, a dúirt mé liom féin. Duine éigin
croíbhriste ina dhiaidh. Beidh áthas an domhain ar
Oscar a bheith ar ais lena mhuintir féin. Ach ag an
am céanna, bhí pian i mo chliabh nuair a smaoinigh
mé faoi. Bhí mé ag iarraidh é a choinneáil.
Smaoinigh mé ar mo mhadra féin, Loki, leis féin sa

tSiria. Dúirt Mama liom gur thóg m'uncail é. Ach ar fíor sin? Cén chaoi a raibh a fhios aici? Ní raibh mé ag iarraidh freagra na ceiste sin a fháil. Ní raibh mé in ann smaoineamh faoi Loki. Bhí sí san áit sin i mo chroí, an áit ina raibh mo Dheaide.

Smaoinigh mé arís faoi Sheán Seoighe ag bagairt nach raibh seo thart. Go bhféadfadh iarmhairtí tubaisteacha a bheith ann. Céard a chiallaigh sé sin?

Nuair a shroich muid oifig an tréidlia, d'fhan Mama taobh amuigh agus chuaigh mise isteach.

Bheannaigh an tréidlia dom. Ansin d'fhéach sé orm go géar thar imeall a chuid spéaclaí. Bhí a shúile chomh mór le súile ulchabháin. Thóg sé Oscar uaim.

'Á…' ar seisean agus lig sé osna mór as. 'A Rollo, a sheanchara! Tá tú ar ais arís chugam.'

Rollo?

'Tá aithne agat air?' a dúirt mé agus mo chroí i mo bhéal.

'Faraor, tá seanaithne agam air,' arsa an tréidlia. 'Tá cónaí air siar an bóthar, ar an mBaile Dóite.'

Thóg sé amach comhad agus d'fhéach sé air. 'Tá úinéir aige. Gearóid ó Loinsigh is ainm dó. Is rógaire amach is amach é. Níor chóir go mbeadh ainmhí ar bith aige. Níl sé in ann aire a thabhairt dó féin, gan trácht ar ainmhí. Ní thugann sé a dhóthain bia dó agus téann Rollo bocht ar strae. Anuraidh bhuail carr é. Bhris Rollo a chos.'

'Tá créacht ar a chorróg anois.'

D'fhéach an tréidlia air.

'Gheobhaidh mé rud éigin dó. Fan ansin nóiméad, agus cuirfidh mé glaoch ar Ó Loinsigh.'

D'imigh sé amach go dtí an oifig eile. Thug

mé barróg d'Oscar. Chuimil mé a cheann. Céard a d'fhéadfainn a dhéanamh? Bheadh ar Oscar dul ar ais chuig an bhfear uafásach úd. Ní raibh sé ceart.

Tháinig an tréidlia ar ais.

'Níl Ó Loinsigh ag freagairt an fóin,' ar sé.

'Céard a tharlaíonn anois?'

'Chuir mé glaoch ar MADRA, an tearmann d'ainmhithe atá i mbaol. Ach, faraor, níl aon spás acu dó. Caithfidh muid Rollo a fhágáil ag an bpóna. Beidh seacht lá ag Ó Loinsigh chun teacht agus é a bhailiú. Ina dhiaidh sin, mura dtiocfaidh sé, cuirfear a chodladh é, is é sin mura mbíonn duine éigin eile sásta baile a thabhairt dó. Tá brón orm.'

Caibidil 7

Ó Loinsigh

Chuaigh mé ar cuairt chuig Oscar gach aon lá, cé gur bhris sé mo chroí é a fheiceáil faoi ghlas. Bhí cailín deas ann, Imelda, a bhí ag tabhairt aire dó, agus thug sise misneach dom.

'Gach seans nach dtiocfaidh sé ar ais, an t-úinéir… agus ansin beidh tú in ann é a bhreith leat abhaile.'

Níor inis mé di faoin óstán. Cén chaoi a bhféadfainn é a bhreith liom? Ní raibh aon bhaile agam.

Ar an séu lá, bhí áthas an domhain orm nár tháinig Ó Loinsigh lena thabhairt leis. Rinne mé cinneadh. Thabharfainn Oscar liom an lá dár gcionn. Bheinn in ann é a chur i bhfolach sa scoil. Nó b'fhéidir go dtógfadh duine de na páistí eile é, nó Múinteoir Grace fiú – nach ndúirt sí go gcabhródh sí liom? D'ardaigh mo chroí. Bheadh gach rud ceart go leor.

Is ar éigean a chodail mé an oíche sin. Ní raibh aon scoil againn an lá arna mhárach. D'éirigh mé go luath, agus chuaigh mé ar mo rothar chomh fada leis an bpóna. Bhí a fhios agam ar an bpointe go raibh rud éigin mícheart. Chuala mé Imelda ag caint le duine éigin, agus bhí sí an-chrosta. D'fhan mé taobh amuigh ag éisteacht leo.

'Níl tú in ann aire a thabhairt dó!' arsa Imelda.

'Is liomsa é agus déanfaidh mé mo rogha rud leis. Tar uait, a Rollo.'

Rollo! Ní hea. Ní fhéadfadh sé seo bheith ag tarlú. Ó Loinsigh a bhí ann.

'Tar uait!'

Shiúil sé amach tharam. Fear mór le cóta fada air. Bhí Oscar ar iall ghearr aige, a cheann faoi. Tharraing Ó Loinsigh go borb air. Rug mé greim ar a lámh.

'Fan! Ná tóg é! Níl sé uait. Tabhair domsa é. Tabharfaidh mise aire dó.'

Bhagair sé a dhorn orm.

'Fan amach uaim!' ar sé. 'Nó cuirfidh mé fios ar na Gardaí.'

'Más é do thoil é…'

Rith mé ina dhiaidh. Léim sé isteach i veain bheag dhubh. Phioc sé suas Oscar go garbh agus chaith sé sa suíochán tosaigh é. Chúb Oscar roimhe. Ansin d'fhéach sé amach orm.

Bhuail mé an veain le mo dhorn.

'Tabhair dom é!'

Tháinig Imelda chugam agus chuir sí a lámha thart orm.

'Fuist,' a dúirt sí. 'Ní fiú é.'

Reibheáil inneall an veain, na rothaí ag caitheamh gairbhéil linn agus Ó Loinsigh ag imeacht leis, siar an bóthar agus timpeall cúinne. Bhí Oscar imithe in éineacht leis.

Cheap mé ansin go mbrisfeadh mo chroí. An uair dheireanach a mhothaigh mé mar sin, bhí mo Dheaide ag fágáil slán againn i lár na hoíche. Bhí bád beag ag fanacht ar an trá.

'Gheobhaidh mise an chéad cheann eile.' ar sé, 'Tabhair aire do do mháthair, a Nizar. Tusa fear an tí anois.'

Líon mo shrón le boladh na líomóide agus ansin bhí Deaide imithe.

B'in sé mhí ó shin, agus ní fhaca muid ó shin é. An bhfeicfinn Oscar arís? Ní raibh a fhios agam.

Caibidil 8

Ag Pacáil

Níl a fhios agam cén chaoi a ndeachaigh mé ar ais chuig an óstán. Ní cuimhin liom tada faoin aistear. Nuair a shroich mé an áit, bhí Seán Seoighe ina sheasamh taobh amuigh.

'Cuir an rothar sin isteach sa gharáiste anois,' a dúirt sé. 'Agus ansin tar isteach i m'oifig. Tá rudaí le plé sula n-imíonn sibh.'

Sula n-imíonn muid? Ar chuala mé i gceart é? Seo é mar sin. Bhí sé chun muid a dhíbirt as an óstán.

D'fhéach mé ar a éadan agus chonaic mé go raibh sé an-sásta leis féin. Seo díreach a bhí uaidh! Bhí sé réidh linn.

Thóg mé an rothar agus chaith mé ar an talamh é. Léim sé as an mbealach, a bhéal ar leathadh. Bhí sé ar tí rud éigin a rá nuair a d'oscail Mama an fhuinneog agus glaoigh sí amach orm.

'A Nizar! Tar anseo! A Nizar!'

Ní raibh mé in ann an scéal seo a insint do mo Mhama. Bhí a dóthain ar a haire aici cheana féin. Agus bhí náire orm. Bhí muid chun ár n-áit san óstán a chailleadh mar gheall ar Oscar. Mar gheall ormsa.

Rith mé siar an bóthar. Ní raibh a fhios agam cá raibh mé ag dul ach ní raibh mé in ann fanacht ansin ag féachaint ar Sheán Seoighe nóiméad níos faide.

* * * * *

D'fhan mé amuigh ar feadh an lae. Chuaigh mé síos chuig an trá agus shiúil mé agus shiúil mé. Bhí mo cheann lán de smaointe faoi Oscar agus lán d'imní faoi cá rachadh muid anois. Bhí Mama ag súil le páiste. Ní bheadh sí in ann maireachtáil ar thaobh an bhóthair.

Faoi dheireadh, is an ghrian ag dul faoi, d'fhill mé ar an óstán. Bhí sé thart ar a leathuair tar éis a seacht. Bhí a fhios agam go mbeadh an cúpla ina gcodladh faoin tráth seo. Bheinn in ann labhairt le Mama ar mo shuaimhneas.

Chuaigh mé isteach tríd an doras tosaigh. Ní raibh aon duine thart. Sa halla, chonaic mé dhá bhosca. Istigh i gceann amháin acu, d'aithin mé mo chuid éadaí. Bhí sé fíor mar sin. Bhí Mama ag pacáil cheana féin. Chuaigh mé suas staighre agus isteach i mo sheomra féin. Céard a déarfainn le Mama? Bhí orm smaoineamh ar réiteach éigin sula labhróinn léi. Shuigh mé ar an leaba ag smaoineamh. Is ansin a chuala mé Rasha ag caoineadh. Bíonn sí ag

caoineadh go minic nuair a théann sí a luí, ar feadh nóiméid nó dhó. Ach anocht níor stop sí. Cén fáth nach raibh Mama á suaimhniú mar a dhéanadh sí de ghnáth?

Léim mé den leaba. Isteach liom sa seomra eile. Bhí Mama sínte ar an urlár. Níor thuig mé i dtosach céard a bhí ag tarlú. Las mé an solas. Chuaigh mé síos ar mo ghlúine in aice léi. Bhí cuma liath ar a héadan. Bhí deacracht aici análú. Bhí a súile dúnta. Bhí sí gan aithne gan urlabhra.

Caibidil 9

San Ospidéal

'Mama!' a dúirt mé, ach níor chorraigh sí.

Rug mé ar a fón, agus cé go raibh mo lámha ar crith, ghlaoigh mé ar otharcharr. Ansin, rith mé amach agus fuair mé Talatu. Tháinig sí liom agus thóg sí an cúpla amach léi sular tháinig an t-otharcharr.

Istigh san ospidéal, bhí fuadar faoi gach uile dhuine. Ní raibh am ag éinne labhairt liom.

Thóg siad Mama uaim. Dúirt siad go raibh an páiste ag teacht.

'Tá do mháthair an-tinn,' a dúirt an dochtuír. 'Caithfidh tú bheith cróga anois.'

Ansin d'imigh siad. Shiúil mé suas síos an pasáiste.

Ná lig di imeacht. Ná fág muid, a Mhama. Cén fáth nár thug mé faoi deara go raibh sí tinn? Cén fáth nach ndeachaigh mé isteach chuici nuair a ghlaoigh sí orm? Lig mé síos í. Lig mé síos mo Dheaide.

Bhí mo shúile ag éirí trom. Ní fhéadfainn titim i mo chodladh! Ní anois. Tháinig banaltra agus thug sí cupán tae dom. Cheap mé go mbeinn tinn dá n-ólfainn é. Bhí cnap i mo bholg. Ní raibh tada le déanamh anois ach fanacht.

Rinne mé mo dhícheall na smaointe dorcha a chur as mo cheann. Fiú dá dtiocfadh biseach ar

45

Mhama, bheadh sí gan teach gan dídean. Bhí gach rud ina phraiseach. Mise a bhí i bhfeighil. Mise a mhill gach rud. Dhún mé mo shúile. Chuala mé glór Dheaide arís ag rá:

'*Tusa fear an tí anois, a Nizar.*'

Mhothaigh mé boladh na líomóide ag dul tharam. Is ansin a chuala mé an guth. Guth a d'aithin mé. An raibh mé ag brionglóideach? D'oscail mé mo shúile.

'Tá mé ag cuardach Bean Sabag. Tháinig sí isteach in otharcharr lena mac.'

D'iompaigh mé thart go mall.

'Deaide?' Rith mé chuige. 'Ó, a Dheaide, an tú atá ann? Lig mé síos thú, a Dheaide. Mhill mé gach uile rud. Tá brón orm…'

'Fuist!' a dúirt sé. 'Ní anois, a stóirín.'

Ansin stop gach rud.

Ní raibh ann anois ach boladh líomóide a chóta agus a lámh ag cuimilt m'éadain. Deaide. Is é a bhí ann go cinnte.

D'fhan muid le chéile ansin. Ní dúirt muid mórán. Ní raibh muid in ann. Faoi dheireadh, d'oscail an doras, agus tháinig an dochtúir amach.

'Tá gach rud ceart go leor,' a dúirt sé. 'Tá an mháthair agus an páiste ag déanamh go maith.'

D'airigh mé an t-urlár ag imeacht uaim. Bhí mé ag titim. Síos, síos i dtobar dorcha. Chuala mé guthanna ach bhí siad i bhfad uaim. Ansin ní raibh ann ach suaimhneas an dorchadais.

Nuair a dhúisigh mé, bhí mé i mo shuí ar chathaoir, agus Deaide ag féachaint orm, a shúile lán imní.

'Tá gach rud ceart go leor, a Nizar. Thit tú i bhfanntais, sin an méid. Beidh gach uile rud ceart anois, a mhic. Beidh gach uile rud ceart.'

Caibidil 10

Saol Nua

Tháinig Mama abhaile le Hani seachtain ina dhiaidh sin. Ciallaíonn a ainm *'duine atá sásta'*. Chaith mise agus Deaide an tseachtain sin ag cur caoi ar an teach nua. Sea! Teach nua. Sin an fáth a raibh Mama ag glaoch orm an lá sin. Sin an fáth a raibh rud éigin le plé ag Seán Seoighe liom ina oifig. Sin an fáth a raibh Mama ag pacáil. Fuair muid teach nua.

Bhí mo sheomra féin agam agus gairdín beag ar chúl an tí. D'inis Deaide a scéal dúinn agus d'inis muidne dósan faoin méid a tharla dúinne freisin.

Ach ní dúirt mé tada leis faoi Oscar. Bhí an scéal sin curtha i bhfolach agam i gceartlár mo chroí.

An lá a tháinig Mama agus babaí Hani abhaile, bhí an ghrian ag taitneamh. Bhí an cúpla amuigh sa ghairdín ag spraoi. Stop an tacsaí taobh amuigh den doras agus amach le Mama agus Deaide. Bhí an páiste nua ina bhaclainn ag m'athair.

Isteach leo agus rinne mise tae le miontas agus líomóid, díreach mar a thaitníonn sé le mo chlann. Ansin chuala mé fón mo mhama ag bualadh.

'Freagair sin dom, a stóirín,' ar sí.

Imelda a bhí ann.

'Ghabh na Gardaí Ó Loinsigh inné,' a dúirt sí. 'Bhí sé ag díol drugaí.'

'Agus Oscar?'

Is ar éigean a bhí mé in ann na focail a rá.

'Céard faoi Oscar?'

'Má théann tú taobh amuigh anois beidh freagra na ceiste sin agat.'

Chuir sí síos an fón. Níor thuig mé céard a bhí i gceist aici. Ach d'oscail mé an doras ar aon chuma.

Bhí Seán Seoighe ina sheasamh ann romham agus bhí iall ina lámh aige. Iall nua dhearg. Agus bhí Oscar ar an iall sin.

'Dúirt m'iníon liom gur leatsa an madra seo anois.'

'D'iníon? Imelda? 'Sí Imelda d'iníon?'

Níor thug sé aon aird ar mo cheist.

'Seo,' ar seisean. 'Tóg uaim é! Níl am agamsa bheith i mo sheasamh thart anseo!'

Ach chonaic mé an meangadh gáire ina shúile, agus bhí a fhios agam nach raibh sé chomh crosta agus a bhí sé ag ligean air féin.

Chrom mé síos agus phioc mé suas Oscar. Ligh sé m'aghaidh.

Is ansin a thosaigh mo shaol nua i gceart.

* * * * *

Buntáistí agus míbhuntáistí a bhaineann le madra a bheith agat.

Buntáistí:
1. Dúisíonn tú go moch ar maidin mar go bhfuil madra ag líochán d'éadain agus ag tarraingt na pluide díot.
2. Téann tú amach ag siúl go minic le do chlann mar go mbíonn an madra i gcónaí ag iarraidh ort a dhul ag siúl.
3. Nuair a bhíonn tú amuigh ag siúl, bíonn seans

agat gach scéal dá bhfuil agat a insint do do Dheaide.

4. Is féidir an páiste nua a chur ag gáire mar is breá leis an madra. Tosaíonn Mama ag gáire ansin freisin agus cuireann sin gliondar ar do chroí.

5. Tá cara nua agat a bhíonn i gcónaí ag fanacht ort le fáilte ina shúile is ní bhíonn uaigneas ort riamh.

Míbhuntáistí:

1. Ní féidir leat criospaí a chur faoi do leaba níos mó. Is breá le hOscar criospaí.

Má thaitin an scéal seo leat,
bain triail as na cinn seo:

Frank Cottrell Boyce
leagan Gaeilge le Tadhg Mac Dhonnagáin

Níl duine ar bith ag iarraidh bheith cairdiúil le Rónán.
Bhuel, ní raibh go dtí gur thug a Dhaideo bronntanas
dó dá lá breithe. Bronntanas aisteach...

ISBN: 978-1-906907-93-8

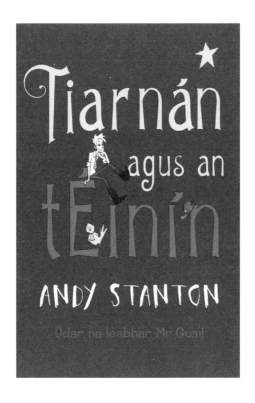

Andy Stanton

Is cailín álainn í Laoise Ní Chualáin agus
tá Tiarnán de Staic an-tógtha léi. Ach níl aon suim aici siúd ann.
An féidir le héinín beag cabhrú leis?

ISBN: 978-1-906907-87-7

Tony Bradman
leagan le Bríd Ní Mhaoileoin

Ba mhaith le Rónán imirt ar an bhfoireann is deise ar an mbaile,
Cumann Sacair Chnic na Saile. Ach caithfidh siadsan é a fheiceáil
ag imirt lena fhoireann féin. Tá fadhb bheag ag Rónán –
níl foireann ar bith aige...

ISBN: 978-1-906907-59-4

Hilary McKay
leagan Gaeilge le Patricia Mac Eoin

Is é Peadar an buachaill is ciúine sa rang. Tá saol leadránach aige,
tá teach leadránach aige. A chat féin, tá sé leadránach!

Ach tá rún ag Peadar. Rún an-suimiúil go deo...

ISBN: 978-1-906907-63-1